鹿(しし)踊(おど)りのはじまり
宮沢賢治・作
ミロコマチコ・絵

そのとき西のぎらぎらのちぢれた雲のあいだから、夕陽は赤くななめに苔の野原に注ぎ、
すすきはみんな白い火のようにゆれて光りました。
わたくしが疲れてそこに睡りますと、ざあざあ吹いていた風が、だんだん人のことばにきこえ、
やがてそれは、いま北上の山の方や、野原に行われていた鹿踊りの、ほんとうの精神を語りました。

あるとき嘉十は、栗の木から落ちて、少し左の膝を悪くしました。そんなときみんなはいつでも、西の山の中の湯の湧くとこへ行って、小屋をかけて泊って療すのでした。

天気のいい日に、嘉十も出かけて行きました。糧と味噌と鍋とをしょって、もう銀いろの穂を出したすすきの野原をすこしびっこをひきながら、ゆっくりゆっくり歩いて行ったのです。いくつもの小流れや石原を越えて、山脈のかたちも大きくはっきりなり、山の木も一本一本、すぎごけのように見わけられるところまで来たときは、太陽はもうよほど西に外れて、十本ばかりの青いはんのきの木立の上に、少し青ざめてぎらぎら光ってかかりました。

嘉十は芝草の上に、せなかの荷物をどっかりおろして、栃と粟とのだんごを出して喰べはじめました。すすきは幾むらも幾むらも、はては野原いっぱいのように、まっ白に光って波をたてました。嘉十はだんごをたべながら、すすきの中から黒くまっすぐに立っている、はんのきの幹をじつにりっぱだとおもいました。

ところがあんまり一生けん命あるいたあとは、どうもなんだかお腹がいっぱいのような気がするのです。そこで嘉十も、おしまいに栃の団子をとちの実のくらい残しました。

そこらがまだまるっきり、
丈高い草や黒い林のままだったとき、
嘉十はおじいさんたちと
北上川の東から移ってきて、
小さな畑を開いて、
粟や稗をつくっていました。

「はあ、鹿等あ、すぐに来たもな。」
と嘉十は咽喉の中で、笑いながらつぶやきました。
そしてからだをかがめて、
そろりそろりと、そっちに近よって行きました。

「こいづば鹿さ呉でやべか。それ、鹿、来て喰」と嘉十はひとりごとのように言って、それをうめばちそうの白い花の下に置きました。

それから荷物をまたしょって、ゆっくりゆっくり歩きだしました。

ところが少し行ったとき、嘉十はさっきのやすんだところに、手拭を忘れて来たのに気がつきましたので、急いでまた引っ返しました。あのはんのきの黒い木立がじき近くに見えていて、そこまで戻るぐらい、なんの事でもないようでした。

けれども嘉十はぴたりとたちどまってしまいました。

それはたしかに鹿のけはいがしたのです。

鹿が少くても五六疋、湿っぽいはなづらをずうっと延ばして、しずかに歩いているらしいのでした。

嘉十はすすきに触れないように気を付けながら、爪立てをして、そっと苔を踏んでそっちの方へ行きました。

たしかに鹿はさっきの栃の団子にやってきたのでした。

一むらのすすきの陰から、嘉十はちょっと顔をだして、びっくりしてまたひっ込めました。
六疋ばかりの鹿が、さっきの芝原を、ぐるぐるぐるぐる環になって廻っているのでした。
嘉十はすすきの隙間から、息をこらしてのぞきました。

太陽が、ちょうど一本のはんのきの頂にかかっていましたので、
その梢はあやしく青くひかり、
まるで鹿の群を見おろしてじっと立っている
青いいきもののようにおもわれました。
すすきの穂も、一本ずつ銀いろにかがやき、
鹿の毛並がことにその日はりっぱでした。

嘉十はよろこんで、そっと片膝をついてそれに見とれました。

鹿は大きな環をつくって、ぐるくるぐるくる廻っていましたが、よく見るとどの鹿も環のまんなかの方に気がとられているようでした。その証拠には、頭も耳も眼もみんなそっちへ向いて、おまけにたびたび、いかにも引っぱられるように、よろよろと二足三足、環からはなれてそっちへ寄って行きそうにするのでした。

もちろん、その環のまんなかには、さっきの嘉十の栃の団子がひとかけ置いてあったのでしたが、鹿どものしきりに気にかけているのは決して団子ではなくて、そのとなりの草の上にくの字になって落ちている、嘉十の白い手拭らしいのでした。嘉十は痛い足をそっと手で曲げて、苔の上にきちんと座りました。

鹿のめぐりはだんだんゆるやかになり、みんなは交る交る、前肢を一本環の中の方へ出して、今にもかけ出して行きそうにしては、びっくりしたようにまた引っ込めて、とっとっとっとっしずかに走るのでした。その足音は気もちよく野原の黒土の底の方までひびきました。
それから鹿どもはまわるのをやめてみんな手拭のこちらの方に来て立ちました。
嘉十はにわかに耳がきいんと鳴りました。そしてがたがたふるえました。鹿どもの風にゆれる草穂のような気もちが、波になって伝わって来たのでした。
嘉十はほんとうにじぶんの耳を疑いました。それは鹿のことばがきこえてきたからです。

廻りの五疋も一ぺんに
ぱっと四方へちらけようとしましたが、
はじめの鹿が、
ぴたりととまりましたので
やっと安心して、のそのそ戻って
その鹿の前に集まりました。
「なじょだた。なにだた、
あの白い長いやづあ。」
「縦に皺の寄ったもんだけあな。」
「そだら生ぎものだないがべ、
やっぱり蕈などだべが。毒蕈だべ。」
「うんにゃ。きのごだない。
やっぱり生ぎものらし。」
「そうが。生ぎもので
皺うんと寄ってらば、年老りだな。」
「うん年老りの番兵だ。
ううはははは。」
「ふふふ青白の番兵だ。」
「ううははは、青じろ番兵だ。」
「こんどおれ行って見べが。」
「行ってみろ、大丈夫だ。」
「喰っつがないが。」
「うんにゃ、大丈夫だ。」

「じゃ、おれ行って見で来べが。」
「うんにゃ、危ないじゃ。も少し見でべ。」
こんなことばもきこえました。
「何時だがの狐みだいに口発破などさ罹ってあ、
つまらないもな、高で栃の団子などでよ。」
「そだそだ、全ぐだ。」
こんなことばも聞きました。
「生ぎものだがも知れないじゃい。」
「うん。生ぎものらしどごもあるな。」
こんなことばも聞こえました。
そのうちにとうとう一疋が、
いかにも決心したらしく、
せなかをまっすぐにして
環からはなれて、
まんなかの方に進み出ました。
みんなは停ってそれを見ています。
　進んで行った鹿は、
首をあらんかぎり延ばし、
四本の脚を引きしめ引きしめ
そろりそろりと
手拭に近づいて行きましたが、
俄かにひどく飛びあがって、
一目散に遁げ戻ってきました。

みんなもびくっとして
一ぺんに遁げだそうとしましたが、
その一ぴきが
ぴたりと停まりましたので
やっと安心して
五つの頭を
その一つの頭に集めました。
「なじょだた、
なして逃げで来た。」
「噛じるべと
したようだたもさ。」
「ぜんたいなにだけあ。」
「わがらないな。
とにかぐ白どそれがら青ど、
両方のぶぢだ。」
「匂あなじょだ、匂あ。」
「柳の葉みだいな匂だな。」
「はでな、息吐でるが、息。」
「さあ、そでば、
気付けないがた。」
「こんどあ、
おれあ行って見べが。」
「行ってみろ」

そこでまた一疋が、そろりそろりと進んで行きました。五疋はこちらで、ことりことりとあたまを振ってそれを見ていました。
進んで行った一疋は、たびたびもうこわくて、たまらないというように、四本の脚を集めてせなかを円くしたりそっとまたのばしたりして、そろりそろりと進みました。
そしてとうとう手拭のひと足こっちまで行って、あらんかぎり首を延ばしてふんふん嗅いでいましたが、俄かにはねあがって遁げてきました。

「何して遁げできた。」

「気味悪ぐなてよ。」

「息吐でるが。」

「さあ、息の音あ為ないがけあな。

口も無いようだけあな。」

「あだまあるが。」

「あだまもゆぐわがらないがったな。」

「そだらこんだおれ行って見べが。」

三番目の鹿がまたそろりそろりと進みました。そのときちょっと風が吹いて手拭がちらっと動きましたので、その進んで行った鹿はびっくりして立ちどまってしまい、こっちのみんなもびくっとしました。けれども鹿はやっとまた気を落ちつけたらしく、またそろりそろりと進んで、とうとう手拭まで鼻さきを延ばした。

こっちでは五疋がみんなことりことりとお互いにうなずき合って居りました。

そのとき俄かに進んで行った鹿が竿立ちになって踊りあがって遁げてきました。

「おう、柔っけもんだぞ。」

「泥のようにが。」

「うんにゃ。」

「草のようにが。」

「うんにゃ。」

「ごまざいの毛のようにが。」

「うん、あれよりあ、
も少し硬ぱしな。」

「なにだべ。」

「とにかぐ生ぎもんだ。」

「やっぱりそうだが。」

「うん、汗臭いも。」

「おれも一遍行ってみべが。」

四番目の鹿が出て行きました。これもやっぱりびくびくものです。
それでもすっかり手拭の前まで行って、いかにも思い切ったらしく、
ちょっと鼻を手拭に押しつけて、それから急いで引っ込めて、一目さんに帰ってきました。

「じゃ、じゃ、噛じらえだが、
痛ぐしたが。」

「プルルルルル。」

「舌抜がれだが。」

「プルルルルル。」

「なにした、なにした。

なにした。じゃ。」

「ふう、ああ、
舌縮まってしまったたよ。」

「なじょな味だた。」

「味無いがたな。」

「生ぎもんだべが。」

「なじょだが判らない。

こんどあ汝あ行ってみろ。」

「お。」

五番目の鹿がまたそろりそろりと進んで行きました。

この鹿はよほどおどけもののようでした。手拭の上にすっかり頭をさげて、それからいかにも不審だというように、頭をかくっと動かしましたので、こっちの五疋がはねあがって笑いました。

向こうの一疋はそこで得意になって、舌を出して手拭を一つべろりと嘗めましたが、にわかに怖くなったとみえて、大きく口をあけて舌をぶらさげて、まるで風のように飛んで帰ってきました。

みんなもひどく愕ろきました

おしまいの一疋がまたそろそろ出て行きました。みんながおもしろそうに、ことこと頭を振って見ていますと、進んで行った一疋は、しばらく首をさげて手拭を嗅いでいましたが、もう心配もなにもないという風で、いきなりそれをくわいて戻ってきました。そこで鹿はみなぴょんぴょん跳びあがりました。

「おう、うまい、うまい、そいづさい取ってしめば、あどは何っても怖っかなぐない。」

「きっともて、こいづあ大きな蝸牛の旱からびだのだな。」

「さあ、いいが、おれ歌、うだうはんてみんな廻れ。」

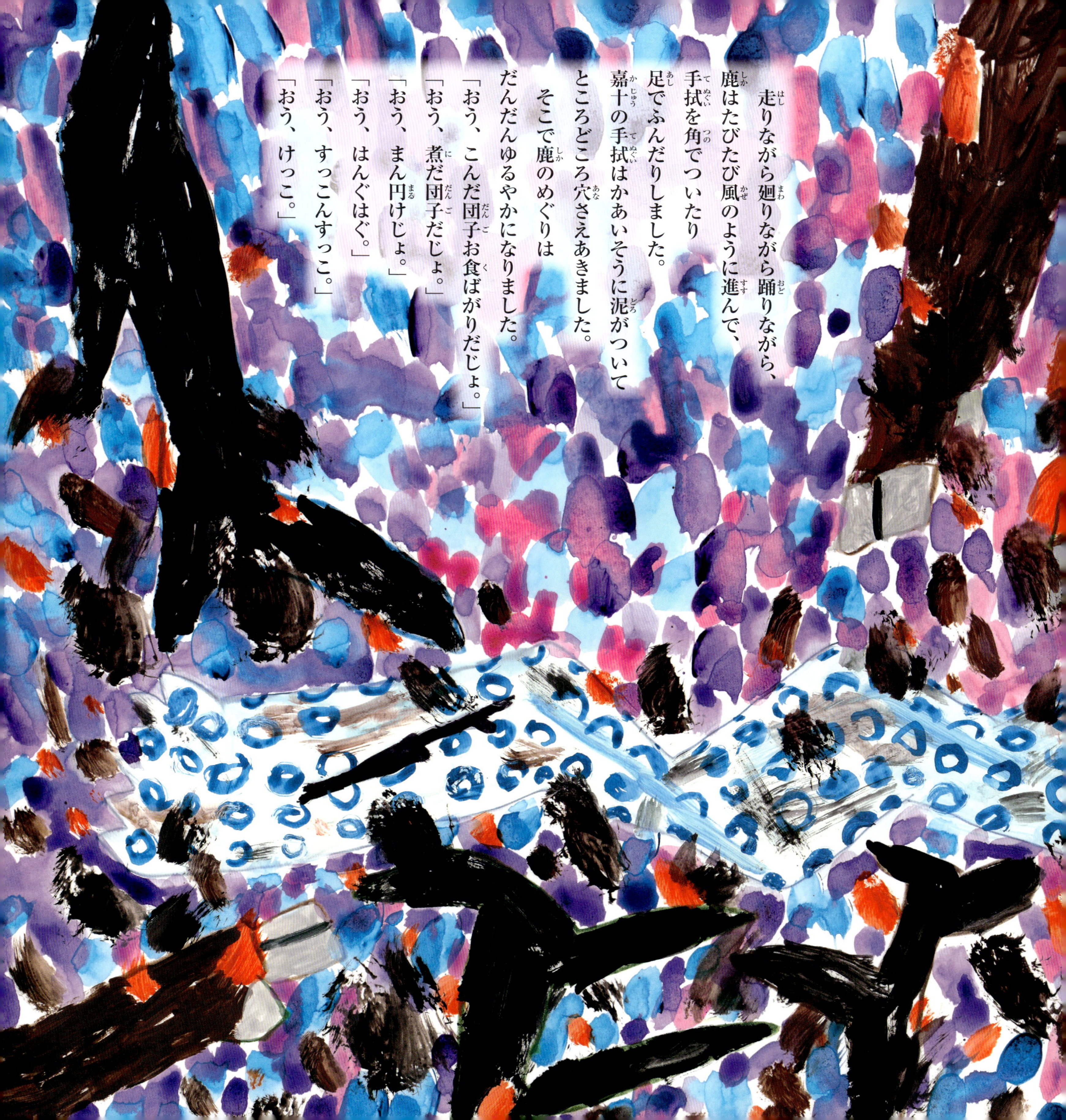

走りながら廻りながら踊りながら、
鹿はたびたび風のように進んで、
手拭を角でついたり
足でふんだりしました。
嘉十の手拭はかあいそうに泥がついて
ところどころ穴さえあきました。
そこで鹿のめぐりは
だんだんゆるやかになりました。
「おう、こんだ団子お食ばがりだじょ。」
「おう、煮だ団子だじょ。」
「おう、まん円けじょ。」
「おう、はんぐはぐ。」
「おう、すっこんすっこ。」
「おう、けっこ。」

その鹿はみんなのなかに
はいってうたいだし、
みんなはぐるぐるぐるぐる
手拭をまわりはじめました。

「のはらのまん中の　めっけもの
すっこんすっこの　栃だんご
栃のだんごは　結構だが
となりにいからだ　ふんながす
青じろ番兵は　気にかがる。
　青じろ番兵は　ふんにゃふにゃ
吠えるもさないば　泣ぐもさない
痩せで長くて　ぶぢぶぢで
どごが口だが　あだまだが
ひでりあがりの　なめぐじら。」

鹿はそれからみんなばらばらになって、四方から栃のだんごを囲んで集まりました。

そしていちばんはじめに手拭に進んだ鹿から、一口ずつ団子をたべました。

六疋めの鹿は、やっと豆粒のくらいをたべただけです。

鹿はそれからまた環になって、ぐるぐるぐるぐるめぐりあるきました。

嘉十はもうあんまりよく鹿を見ましたので、じぶんまでが鹿のような気がして、いまにもとび出そうとしましたが、じぶんの大きな手がすぐ眼にはいりましたので、やっぱりだめだとおもいながらまた息をこらしました。

右から二ばん目の鹿が、
俄かにとびあがって、
それからからだを
波のようにうねらせながら、
みんなの間を縫って
はせまわり、
たびたび太陽の方に
あたまをさげました。
それから
じぶんのところに戻るや
ぴたりととまって
うたいました。
「お日さんを
せながさしょえば、はんの木も
くだげで光る
鉄のかんがみ。」
はあと嘉十もこっちで
その立派な
太陽とはんのきを拝みました

太陽はこのとき、
ちょうどはんのきの梢の中ほどにかかって、
少し黄いろにかがやいて居りました。
鹿のめぐりは
まただんだんゆるやかになって、
たがいにせわしくうなずき合い、
やがて一列に太陽に向いて、
それを拝むようにして
まっすぐに立ったのでした。
嘉十はもうほんとうに
夢のように
それに見とれていたのです。
一ばん右はじにたった鹿が
細い声でうたいました。
「はんの木の
みどりみじんの葉の向さ
じゃらんじゃららんの
お日さん懸がる。」
その水晶の笛のような声に、
嘉十は目をつぶって
ふるえあがりました。

五番目の鹿がひくく首を垂れて、
もうつぶやくように
うたいだしていました。
「ぎんがぎがの
　すすぎの底の日暮れかだ
　苔の野はらを
　蟻こも行がず。」
　このとき鹿はみな
首を垂れていましたが、
六番目がにわかに
首をりんとあげてうたいました。
「ぎんがぎがの
　すすぎの底でそっこりと
　咲ぐうめばぢの
　愛どしおえどし。」

右から三ばん目の鹿は
首をせわしくあげたり下げたり
してうたいました。

「お日さんは
はんの木の向さ、降りでても
すすぎ、ぎんがぎが
まぶしまんぶし。」

ほんとうにすすきはみんな、
まっ白な火のように
燃えたのです。

「ぎんがぎがの
すすぎの中さ立ちあがる
はんの木のすねの
長んがい、かげぼうし。」

鹿はそれからみんな、みじかく笛のように鳴いてはねあがり、はげしくはげしくまわりました。
北から冷たい風が来て、ひゅうと鳴り、はんの木はほんとうに砕けた鉄の鏡のようにかがやき、
かちんかちんと葉と葉がすれあって音をたてたようにさえおもわれ、
すすきの穂までが鹿にまじって一しょにぐるぐるめぐっているように見えました。

嘉十はもうまったくじぶんと鹿とのちがいを忘れて、
「ホウ、やれ、やれい。」と叫びながらすすきのかげから飛び出しました。

それから、そうそう、苔の野原の夕陽の中で、
わたくしはこのはなしをすきとおった秋の風から聞いたのです。

鹿はおどろいて一度に竿のように立ちあがり、それからはやてに吹かれた木の葉のように、からだを斜めにして逃げ出しました。銀のすすきの波をわけ、かがやく夕陽の流れをみだしてはるかにはるかに遁げて行き、そのとおったあとのすすきは静かな湖の水脈のようにいつまでもぎらぎら光って居りました。

そこで嘉十はちょっとにが笑いをしながら、泥のついて穴のあいた手拭をひろってじぶんもまた西の方へ歩きはじめたのです

●本文について

本書は『新修　宮沢賢治全集』（筑摩書房）を底本としました。なお原文の旧字・旧仮名、および送り仮名に関しては、原則として現代の表記を使用しています。

参考文献＝『宮沢賢治コレクション2　注文の多い料理店』（筑摩書房）。

※本文中に現在は慎むべき言葉が出てきますが、発表当時の社会通念とともに、作者自身に差別意識はなかったと判断されること、あわせて、作者の人格権と著作物の権利を尊重する立場から原文のままにしたことをご理解願います。

言葉の説明

【鹿踊り】……「鹿踊り」と書いて「ししおどり」と読む。岩手県・宮城県、また愛媛県の宇和島にも伝わる伝統舞踏。鹿の頭を思わせる頭（かしら）をかぶり、鹿の動きを表現するように、上体を前後にゆらしたり、飛び跳ねたりして踊る。地域によって、その装束や踊り方に多少の違いがある。賢治の故郷である岩手県花巻地方では、このページの上にあるシルエットの絵のように、鹿の角だけでなく、白い房をつけた2本ののぼりのような棒を背中から立てる。この棒は「白い火のようにゆれて光る」ススキを表しているのかもしれない。花巻まつりで踊られるだけでなく、賢治の命日である9月21日に毎年開催される「賢治祭」でも、鹿踊りが踊られるのが恒例となっている。賢治の詩〈高原〉には、「海だべがど、おら、おもたれば／やっぱり光る山だたじゃい／ホウ／髪毛　風吹げば／鹿踊りだじゃい」とある。この物語のはじめにあるように、山野で踊られる鹿踊りの様子を思わせるような詩だ。

【はんのき】……全国の山野の低地や湿地、沼などに生える背の高い落葉樹。

【栃】【とちの実】……古くから、山村では、栃（とち）の木になる実（直径3〜4センチ）で、とち餅やとち団子などを作った。

【うめばちそう】……山地の日当たりのいい湿地に生える多年草。梅鉢草とも書き、夏から秋にかけて、梅に似た白い花をつける。

【鹿のめぐり】……鹿がぐるぐる回っていること。

【口発破】……噛（か）んだら口の中で爆発するしかけの罠（わな）。

【竿立ち】……前足をあげて、まっすぐに立ち上がること。

【ごまざい】……ごまざいとは、ガガイモという蔓植物のことで、実が熟すと、そこからふわふわの綿毛を持った種が出てきて、風に飛ぶ。

【おどけもの】……わざと馬鹿げたことやひょうきんなことをする者のこと。

【かんがみ】……「鏡」のこと。

【はやて】……急にはげしく吹く風。

絵・ミロコマチコ

一九八一年、大阪府生まれ。画家・絵本作家。
その圧倒的で伸びやかな画風が注目を集め、国内外で個展を開催。
二〇一二年の絵本デビュー作『オオカミがとぶひ』（イースト・プレス）で
第18回日本絵本賞大賞を受賞。
『てつぞうはね』（ブロンズ新社）で第45回講談社出版文化賞絵本賞を受賞。
『ぼくのふとんは うみでできている』（あかね書房）で
第63回小学館児童出版文化賞を受賞。
二〇一五年に、絵本『オレときいろ』（WAVE出版）で、
ブラティスラヴァ世界絵本原画展（BIB）の金のりんご賞を、
二〇一七年に、絵本『けもののにおいがしてきたぞ』（岩崎書店）で、同賞の金牌を受賞。
そのほかの絵本に『つちたち』（学研プラス）、『まっくらやみのまっくろ』（小学館）など。
絵本以外の著書に画文集『ホロホロチョウのよる』（港の人）、
画集『けだらけ』（筑摩書房）、『ねこまみれ帳』（ブロンズ新社）などがある。

鹿踊りのはじまり

作／宮沢賢治
絵／ミロコマチコ
発行者／木村皓一　発行所／三起商行株式会社
〒581-8505　大阪府八尾市若林町1-76-2
電話　0120-645-605
ルビ監修／天沢退二郎
編集／松田素子　（編集協力／橘川なおこ）
デザイン／タカハシデザイン室
印刷・製本／丸山印刷株式会社
発行日／初版第1刷　2018年10月11日

40P.　26cm × 25cm　©2018 mirocomachiko
Printed in Japan.　ISBN978-4-89588-142-5 C8793